BIAO ZHUN ZHONG WEN

标准中文

第二级　第一册

课程教材研究所　编著

zhōng wén xué xiào
中文学校

＿＿＿＿＿＿＿中文学校

xìng　míng
姓　名　＿＿＿＿＿＿＿

人民教育出版社

图书在版编目（CIP）数据

标准中文：第二级第一册／课程教材研究所编.－北京：
人民教育出版社，1998
ISBN 7-107-12822-1

I.标…　II.课…　III.对外汉语教学-习题　IV.H195.3
-44

中国版本图书馆 CIP 数据核字（98）第 29950 号

标 准 中 文

BIAO ZHUN ZHONG WEN

第二级　第一册

DI ER JI　DI YI CE

课程教材研究所　编著

*

人民教育出版社出版发行
（100009　中国北京沙滩后街 55 号）
Fax No·861064010370
Tel No·861064035745

北京尖端彩色印刷有限公司印装

*

开本 889×1194　1/16　印张 9.5
1998 年 10 月第 1 版　1998 年 10 月第 1 次印刷

说　明

　　一、标准中文系列教材是为中国赴美国、加拿大等海外留学人员子女和其他有志于学习中文的青少年编写的。全套教材包括《标准中文》九册（分三级，每级三册），《练习册》十二册（分 A、B 本，与第一、第二级课本配套），《语文读本》三册（与第三级课本配套），以及《教学指导手册》、录音带、录像带等。这套教材由中国课程教材研究所编写，人民教育出版社出版。

　　二、这套教材期望达到的学习目标是，学会汉语拼音，掌握 2000 个常用汉字，5000 个左右常用词，300 个左右基本句式，能读程度相当的文章，能写三四百字的短文、书信，具有初步的听、说、读、写能力，有一定的自学能力，能在使用汉语言文字地区用中文处理日常事务，并为进一步学习中文和了解中国文化，打下坚实的基础。

　　三、教材编者从学习者的特点出发，在编写过程中加强针对性，注重科学性，体现实用性，增加趣味性。使教材内容新颖、丰富，可读性强，练习形式多样，图文并茂，方便教学。

四、本册课本是《标准中文》第二级第一册。要求学习者进一步复习巩固汉语拼音，学会300个常用汉字，398个常用词语，30个基本句，能用普通话熟读课文，能仿照基本句说句子，能在观察图画、观察事物或阅读课文的基础上，说、写一段话。会写留言条。

五、本册共有30课，以会话形式作为课文的和以短文形式作为课文的各15课。短文内容包括自然景物、名胜古迹、益智故事、寓言童话等。会话围绕主人公的活动，安排了参观游览、运动健身、课外活动以及介绍中国文化的内容。全册课文分10组编排，每组3课。每课课后的"练习"，安排了字、词、句的训练内容，侧重于本课所学内容的复习巩固。全册还安排了四个综合练习。为了方便阅读，本册的生字、难字注汉语拼音。书后附有生字表、词语表。生字表注有相对应的繁体字。

六、与本册课本配套的有《练习册》和《教学指导手册》。《练习册》侧重于书写生字、新词、句子，进行阅读和说话、写话训练。《教学指导手册》可供教师教学和家长辅导学生学习时参考。在适当的时候，本册还将配有录音带和录像带，供教师教学和学习者自学之用。

目 录

大卫在北京

小云：大卫，这几天在北京玩得怎么样？

大卫：我玩得挺(tǐng)高兴。

小云：你都去了哪些地方？

大卫：去了长城(chéng)、故宫(gù gōng)、天坛(tán)，还有颐(yí)和园。

小云：你觉(jué)得最好玩的地方是哪儿？

大卫：是天坛。我妈妈在那边贴着回音壁(bì)说话，我在这边听得清清楚(chǔ)楚，真奇怪。

小云：还有更(gèng)有趣的呢。你数过祈(qí)年殿(diàn)里有多少根(gēn)柱子吗？

大卫：数过，一共(gòng)有二十八根。

小云：你知道它们都代表什么吗？

大卫：不清楚。

小云：里边的四根代表一年四季。中间的十二根代表一年十二个月。外边的十二根，代表一天十二个时辰(chén)。中间和外边的柱子合起来，是二十四根，代表一年二十四个节气。

大卫：这太有意思了。

小云：游完北京，你是去西安，还是去上海？

大卫：我妈妈的意思是去上海。

你是去西安，还是去上海？

挺	城	故	宫	坛	觉	壁	楚	更	共

(坛)(觉)

练 习

一、读准声调。

一	╱	ˇ	╲
宫	城	挺	故
春	坛	楚	壁
贴	觉	展	更
汤	楼	览	共

二、说说下面的字是怎样组成的。

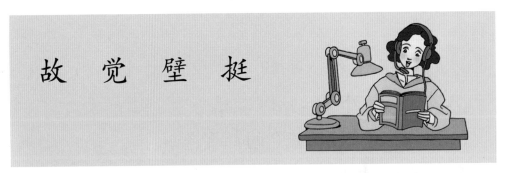

故　觉　壁　挺

三、读词语。

北京　长城　故宫　天坛

一共　节气　觉得　奇怪

里边　中间　外边　清清楚楚

4

四、读一读，想一想。

打篮球　　　踢足球

做贴画　　　画图画

写作业　　　读课文

出国旅游　　到海滨度假

五、读句子，说句子。

你是去西安，还是去上海？

1 小云是参加朗诵比赛，还是参加歌咏比赛？

2 大卫是去图书馆看书，还是＿＿＿＿＿？

3 ＿＿是＿＿＿＿＿，还是去操场踢球？

4 ＿＿是＿＿＿＿＿，还是＿＿＿＿＿？

2 游览上海

小云：大卫，你们今天都去哪儿玩了？

大卫：我们先逛(guàng)了城隍(huáng)庙(miào)，又游览了外滩(tān)，参观了南浦(pǔ)大桥。

小云：你觉得怎么样？

大卫：城隍庙的九曲(qū)桥、豫(yù)园很好玩。外滩嘛(ma)，高楼成片，很像纽约(niǔ yuē)的曼哈顿(màn hā dùn)。

小云：那新建的南浦大桥呢？

大卫：南浦大桥又高、又宽、又长，两个"H"形的桥

城 隍 庙

上海南浦大桥

塔(tǎ)提起数不清的钢缆(gāng lǎn)，就像两架巨大的竖琴(shù qín)，太漂亮了。在桥上远望，江上的轮船就像公园里的小艇(tǐng)。

小云：听说南浦大桥在世界上的同类(lèi)桥里，还名列(liè)前茅(máo)呢。

大卫：噢(ō)，是这样。小云，我还想看看中国小朋友的课余(yú)活动。中国的小朋友有自己活动的地方吗？

小云：有。明天我带你到少[shào]年宫看看去。

我们先逛了城隍庙，又游览了外滩。

逛	滩	曲	塔	艇	类	列	余
	(灘)				(類)		(餘)

练 习

一、读拼音，找汉字。

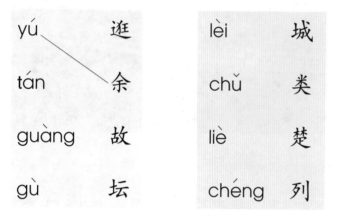

yú	逛
tán	余
guàng	故
gù	坛

lèi	城
chǔ	类
liè	楚
chéng	列

二、看一看，记一记。

逛	犭	狂	逛
滩	氵	汉	滩
列	一	歹	列
曲	冂	冊	曲 曲

三、看图读词语。

 九曲桥

 小艇

 少年宫

 海滩

四、读一读，照样子说一说。

逛城 隍 庙 （huángmiào）　游览外滩　参观南浦大桥 （pǔ）

打篮球　踢足球　练武术 （wǔ shù）

洗衣服 （xǐ）　打开 窗 子 （chuāng）　收拾房间

五、读句子，说句子。

我们		逛了城隍庙，		游览了外滩。
妈妈		去了书店，		去了自选商场。（shāng）
小云	先	参观了画展，	又	
				洗了衣服。

3 参观少年宫

小云：这是少年宫的大厅，我们先在这儿看文艺(yì)节目。

大卫：台(tái)上的小朋友脸上涂(tú)着油彩，穿得花花绿(lù)绿
　　　的。他们在表演(yǎn)什么？

小云：他们在演京剧(jù)。

大卫：京剧很好看，可是我听不懂(dǒng)。

小云：京剧的唱腔(qiāng)很好听，唱词(cí)也很优(yōu)美，听
　　　多了就懂了。楼上还有绘(huì)画小组(zǔ)、书法(fǎ)小
　　　组和电脑小组，现在正在活动，我们去看看吧。

大卫：这里的活动真是丰富(fēng fù)多彩呀。

小云：我们再到楼后边的少年湖去，那里正在举行航海、航空
　　　模型 (mó xíng) 表演呢。

大卫：那艘 (sōu) 气垫 (diàn) 船离开了水面，像离弦 (xián) 的
　　　箭 (jiàn) 一样向前飞驰 (chí)，真棒！

小云：大卫，你往天上看。

大卫：啊，小飞机 (jī) 飞得真高，还投 (tóu) 下了许多降 (jiàng) 落
　　　伞 (sǎn)，真好玩。

小云：中国还有许多好玩的地方。我希 (xī) 望你明年再来。

大卫：我会来的。

我希望你明年再来。

11

艺	台	剧	腔	词	优	绘	组	法	丰	富
(藝)	(臺)	(劇)		(詞)	(優)	(繪)	(組)			(豐)

练 习

一、读一读，比一比。

台—抬　　丰—峰　　去—法

会—绘　　空—腔　　富—副

二、读词语。

京剧　　　唱腔　　　唱词　　　优美

绘画　　　书法　　　电脑　　　小组

航海　　　航空　　　文艺节目　　丰富多彩

三、读句子。

1 杰克好好学习。

2 汤姆(mǔ)来我家玩。

3 丹尼(dān ní)和他一起去游泳(yǒng)。

4 妈妈带她去中国旅游。

四、读句子，说句子。

我		你明年再来。
大卫		爸爸带他去奶奶家。
	希_{xī}望	我好好学习。
小云		

五、看图说话。

　　说说谁和谁在什么时候、什么地方、正在做什么，他们玩得怎么样。认真看图，再用几句话说清楚。

4 爬 山

汤姆：听说暑(shǔ)假你们去了中国，爬山了吗？

大卫：爬山了。我爬了泰(tài)山。泰山真雄伟(xióng wěi)，山上还有很多石刻呢。

汤姆：泰山好爬吗？

大卫：快到山顶的那段(duàn)路，直上直下的，非常不好爬。

汤姆：我喜欢爬山，特别喜欢爬又高又陡(dǒu)的山。

小云：中国的华(huà)山就是这样的山。只有一条路通(tōng)到山顶，

泰山十八盘

中间有一段路很窄(zhǎi)很陡，像悬(xuán)着的梯(tī)

子一样。胆(dǎn)小的人都不敢(gǎn)爬。

汤姆：爬这样的山才有意思呢。

大卫：汤姆胆子大，又喜欢爬山，将(jiāng)来当登山运动员，
　　　爬珠穆朗玛(zhū mù lǎng mǎ)峰吧。

汤姆：珠穆朗玛峰在哪儿？

小云：珠穆朗玛峰在中国的西南边境(jìng)，是世界第(dì)一高
　　　峰。它的高度有八千八百多米，是泰山的五六倍(bèi)。

汤姆：如(rú)果我当上登山运动员，一定去爬珠穆朗玛峰！

如果我当上登山运动员，一定去爬珠穆朗玛峰！

暑	雄	伟	段	华	梯	胆	将	境	倍	如
		(偉)		(華)		(膽)	(將)			

练 习

一、读下面的字，注意声调的不同。

| 伟 | 为 | 味 | | 暑 | 书 | 数 | | 胆 | 单 | 但 |

| 倍 | 北 | 背 | | 梯 | 题 | 体 | | 华 | 花 | 画 |

二、说出带有下列偏旁的字。

女　木　亻　月

三、读一读，想想词的意思。

| 早晨 | 中午 | 晚上 | | 左边 | 中间 | 右边 |

| 昨天 | 今天 | 明天 | | 山下 | 山腰 | 山顶 |

| 过去 | 现在 | 将来 |

四、读词语。

暑假　梯子　胆小　登山　　五六倍

边境　高度　雄伟　运动员　一段路

五、读句子，说句子。

　　如果我当上登山运动员，一定去爬珠穆朗玛峰。
　　　　　　　　　　　　　　　　zhū mù lǎng mǎ

1 如果天气好，我们全家去野外爬山。

2 如果你想看京剧录像，请到我家来。
　　　　　　　　　lù

3 如果我努力，＿＿＿＿＿＿＿＿＿＿＿。

4 如果＿＿＿＿＿＿，我们去滑旱冰。
　　　　　　　　　　　huá hàn

5 如果＿＿＿＿＿，＿＿＿＿＿＿＿＿。

5 写(xiě) 留言(yán) 条

妈妈：小云，你回来啦。你姥姥(lǎo lao)来电话了，她这几天
身体不太好，我们去看看她吧。

小云：我们现在去，爸爸知道吗？

妈妈：我刚才打了电话，他不在办公室。你写个留言条好吗？

小云：留言条怎么写呀？

妈妈：写留言条很容易(róng yì)。先写收条人的称(chēng)呼，
再写要说的事情，最后写自己的名字和留言的时间。

小云：我现在就写一个：

爸爸：
　　妈妈给您打电话，您没在办公室。现在我和妈妈去姥姥家，晚上八点以前回来。
　　　　　　　　　　　　小云
　　　　　　　　10月5日下午4时

小云：妈妈，我写完了，您看一看。
妈妈：写得不错，又简单(jiǎn dān)又明白。放在桌子上吧。

写留言条很容易。

写	言	姥	容	易	称	简	单
(寫)					(稱)	(簡)	(單)

练 习

一、比一比，口头组成词语。

老——姥　　易——踢　　言——信

间——简　　见——现　　你——称

二、读词语。

称呼　　时间　　容易　　最后　　事情　　办公室

名字　　晚上　　简单　　以前　　明白　　留言条

三、对亲属(shǔ)的称呼还有哪些，说一说。

爸爸（　　　）（　　　）（　　　）

奶奶（　　　）（　　　）（　　　）

四、说说下面的留言条忘记写什么了。

我和爸爸去公园了，
下午四点以前回来。

五、读句子，说句子。

写留言条很容易。

1 打电话要说得简单明白。

2 穿红衣服非常漂亮。

3 打网球_____。

4 __ ____我最感兴趣。

5 __ ____要坐很长时间的车。

6 要下雨了

爸爸：海伦(lún)，我们回家吧。你看燕(yàn)子飞得多低(dī)呀，要下雨了。

海伦：为什么燕子飞得低，就要下雨呢？

爸爸：下雨之前，空气湿(shī)，小飞虫的翅膀(chì bǎng)沾(zhān)上了小水珠(zhū)，飞不高。燕子低飞才能捉住它们。

海伦：是吗，还能从哪儿看出要下雨了？

爸爸：我们到那边的水池(chí)看看吧，小鱼可能游到水面上了。因(yīn)为下雨之前气压低，水里氧(yǎng)气少，鱼儿会到水面上来呼吸。

海伦：啊！小鱼真的游到水面上来了。

爸爸：海伦，你再看看路边的蚂蚁(mǎ yǐ)，它们正忙着往高处搬家呢。

海伦：原来是这样。那我们快走吧！

爸爸：是啊，天上的乌(wū)云越(yuè)来越多，风也刮(guā)起来了，就要下雨了。

天要下雨了。

燕	低	湿	翅	膀	珠	池	氧	乌	越	刮
		(濕)						(烏)		(颳)

练 习

一、选择正确的字音，读一读。

shī　sī
湿

zhū　zú
珠

chì　cì
翅

dī　dǐ
低

wú　wū
乌

yuě　yuè
越

二、看一看，记一记。

燕	艹	苗	燕	燕		
越	走	走	赴	越	越	越

三、读词语。

燕子　　水珠　　氧气　　高处　　刮起来

翅膀　　水池　　乌云　　搬家　　越来越多

四、读一读，注意带点的词语。

氧气少　　飞得低　　下雨前　　台上

乌云多　　跳得高　　放学后　　桥下

五、读句子，说句子。

天要下雨了。

1　风快要停了。

2　联欢会就要开始了。
　lián

3　新年＿＿＿＿＿＿＿＿。

4　＿＿＿＿＿＿要过生日了。

5　＿＿＿＿＿＿要＿＿＿＿＿＿。

综 合 练 习 一

一、把声调相同的字归在一起，读一读。

城　宫　塔　共　逛　腔　绘　楚

词　梯　易　乌　坛　段　越　氧

二、读一读，想一想。

少 ＜ shào 少年宫
　　 shǎo 多少

数 ＜ shǔ 数一数
　　 shù 计数

长 ＜ cháng 长城
　　 zhǎng 长大

好 ＜ hào 好客
　　 hǎo 好朋友

三、读句子，注意带点的词。

1　小雨淋(lín)湿了我的外衣。

　小雨把我的外衣淋湿了。

　我的外衣被小雨淋湿了。

2 大卫打破了学校的跳高纪录。

大卫把学校的跳高纪录打破了。

学校的跳高纪录被大卫打破了。

四、把句子补充完整，再读一读。

1 我们先玩"老鹰捉小鸡"，又_____。

2 你是喜欢红的，还是_____。

3 _____中国小朋友演京剧。

4 如果明天天气好，_____。

5 要_____了，我们赶快回家吧。

五、读下面的留言条，注意标点符号的用法。

大卫：
　　我来还画册《北京》，你不在家。我交给你的姐姐了。谢谢！
丹尼
8月7日下午3时

六、把下面的句子整理成一段通顺的话，读一读。

晚上，雨下起来了，雨点打在玻(bō)璃(lí)上啪(pā)啪直响。

昨天下午，天开始阴(yīn)了，天上的乌云越来越多。

今天早晨，雨停了，天晴(qíng)了。

雨下了整整一夜。

七、读短文。

  鲁(lǔ)班是中国古代的能工巧匠(jiàng)，他有许多发明创造(chuàng zào)。传说伞(sǎn)就是他发明的。

  很久以前没有伞，鲁班一心想造个东西，既(jì)能挡风雨，又能遮(zhē)太阳。

一天，鲁班看见几个孩子在烈(liè)日下顶着荷(hé)叶玩。他就照着荷叶的样子做了起来。他先用竹条扎(zā)好架子，再蒙(méng)上羊皮……鲁班的妻(qī)子看见了，高兴地说："要是能把它收起来就更好了。"鲁班冥(míng)思苦(kǔ)想，做了许多次，终(zhōng)于造出了能开能收的伞。

八、说话。

暑假你到什么地方玩了？把你觉得最好看的或最好玩的讲给同学听。

7 雷(léi) 雨

　　满天的乌云，黑沉(chén)沉地压下来。树叶一动也不动，蝉(chán)一声也不叫。

　　忽然(hū rán)一阵(zhèn)大风，吹(chuī)得树枝乱摆。一只蜘蛛(zhī zhū)从网上垂(chuí)下来，逃(táo)走了。

　　闪电越来越亮，雷声越来越响(xiǎng)。哗(huā)，哗，哗，雨下起来了。

　　雨越下越大。往窗 (chuāng) 外望去，树啊，房子啊，都看不清了。

　　雷声渐 (jiàn) 渐地小了，雨声也小了。天亮起来了。打开窗户，清新的空气迎面扑 (pū) 来，感 (gǎn) 到很凉爽 (shuǎng)。

　　雨停了。太阳出来了。一条彩虹 (hóng) 挂在天上。蝉叫起来了。蜘蛛又坐在网上了。

　　雨下起来了。

雷	沉	忽	然	吹	垂	逃	响	渐	扑	感

(響) (漸) (撲)

练 习

一、说说怎样记住下面的字。

垂 雷 然
渐 逃 感

二、读词语。

雷雨　迎面　树枝　忽然　渐渐　黑沉沉

闪电　感到　清新　逃走　满天　亮起来

三、连起来读一读。

一条彩^{hóng}虹　　坐在网上

一只蜘蛛^{zhī zhū}　　挂在天上

一条大鱼　　游到水面上

四、读句子，注意带点的词语。

1 一只蜘蛛从网上垂下来。

2 一只猫顺着树干爬上去。

3 大卫迎面走过来。

4 丹尼从横杆上跳过去。

五、读句子，说句子。

雨下起来了。

1 太阳升起来了。

2 乌云黑沉沉地压下来了。

3 _____游过来了。

4 风刮 _____。

5 _____ _____。

8 王冕(miǎn)学画

中国古时候有个人叫王冕。他小时侯家里很穷(qióng)，只念了三年书，就去给人家放牛。他一边放牛，一边找些书来读(dú)。

一个夏天的傍(bàng)晚，王冕在湖边放牛。忽然下了一阵(zhèn)大雨。

大雨过后，阳光照得满湖通(tōng)红。湖里的荷(hé)花开得更鲜艳了。粉(fěn)红的花瓣(bàn)上清水滴(dī)滴，碧绿(bì lǜ)的荷叶上水珠滚(gǔn)来滚去。王冕看得出了神(shén)，心里想，要是能把这美丽的荷花画下来，那多好啊！

王冕找来笔和纸，照着湖里的荷花画起来。开始画得不像，可是他不灰心，天天画。后来，他画的荷花，就像刚从湖里采(cǎi)来的一样。

湖里的荷花开得更鲜艳了。

35

穷	读	傍	阵	通	荷	粉	滴	滚	神	采
(窮)	(讀)		(陣)							(採)

练 习

一、比一比，记一记。

采——菜   分——粉   车——阵

傍——膀   滴——摘   穷——空

二、读词语。

夏天   傍晚   一阵   满湖通红

荷花   粉红   荷叶   清水滴滴

放牛   读书   出神   滚来滚去

三、读一读。

画得不像   开得更鲜艳了

看得出了神   照得满湖通红

飞得很低   吹得树枝摆来摆去

四、读一读，注意语气。

穷 —— 很穷 —— 王冕家里很穷。

荷 —— 荷花 —— 湖里的荷花多么鲜艳!

画 —— 画画 —— 你喜欢画画吗?

五、读句子，说句子。

湖里的荷花开得更鲜艳了。

1 这棵树长得很茂盛。

2 池塘里的青蛙叫得更欢了。

3 我家的小狗长得＿＿＿＿＿＿＿。

4 ＿＿＿＿＿唱得多好听!

5 ＿＿＿＿＿得＿＿＿＿＿＿。

9 咏(yǒng) 鹅(é)

唐(táng)代有个诗人叫骆(luò)宾(bīn)王，他七岁的时候就能作诗。

一天，骆宾王到池塘(táng)边去玩，看到几只白鹅在碧绿(bì lǜ)的池水中游来游去。它们有的伸(shēn)着长长的脖(bó)子，朝着天空哦(é)哦哦地叫着，有的用红色的脚掌划(huá)着水，水面泛(fàn)起一道道清波(bō)。一只白鹅一边叫着一边向他游来。

骆宾王看着白鹅快乐的样子，心里很

高兴，不由 (yóu) 得吟诵 (yín sòng) 着：

　　　　鹅，鹅，鹅，

　　　　曲项 (xiàng) 向天歌。

　　　　白毛浮 (fú) 绿水，

　　　　红掌拨 (bō) 清波。

　　回家以后，他把这首诗写了下来。这就是有名的《咏鹅》。

几只白鹅在碧绿的池水中游来游去。

鹅	唐	塘	碧	绿	伸	脖	划	波	浮	拨

(鵝)　　　　(綠)　　(劃)　　(撥)

练 习

一、比一比，口头组成词语。

唐——塘　　皮——波　　鸟——鹅

伸——神　　拨——泼　　波——被

二、读一读。

划——划水——白鹅用脚掌划水。

绿——碧绿——眼前是一片碧绿的菜田。

脖——脖子——白鹅的脖子长长的。

三、读一读，注意标点符号的用法。

1　汤姆问大卫：“你是踢足球，还是打篮球？”

2　海伦说：“如果我去中国，一定要登长城！”

3　老师对小朋友说：“请你说说鹅和鸭有什么不同。”

4　妈妈说：“小云，你给爸爸写个留言条。”

四、读一读。

小鱼游来游去。　　　乌云越来越多。

水珠滚来滚去。　　　雷声越来越响。

蚂蚁跑来跑去。　　　天越来越亮。
mǎ yǐ

五、读句子，说句子。

几只白鹅在碧绿的池水中游来游去。

1　小鸟在枝头跳来跳去。

2　运动员在足球场上跑来跑去。

3　_____ _____走来走去。

4　小狗在草地上_____。

5　_____ _____ _____。

10 进 城

　　从前，有个人拿着一根(gēn)长长的竹竿(gān)，急(jí)急忙忙进城去。

　　他走到城门前，把竹竿横过来拿，进不去。他想：城门太窄(zhǎi)，只好竖(shù)着拿了。可是他把竹竿竖起来，竹竿比城门高多了，还是拿不进去。他左思右想，也想不出好办

法，急得满头大汗(hàn)。

一个老头看见了，觉得很可笑，就大声说："你这个人真是太笨(bèn)了。因为你的竹竿太长，所(suǒ)以拿不进去。把它锯(jù)成两截(jié)，不就可以拿进城了吗？"

旁边的人听了，都哈(hā)哈大笑起来。

因为你的竹竿太长，所以拿不进去。

根	竿	急	窄	竖	汗	笨	所	锯	截	哈

(竖)　　　　　　　　(锯)

练 习

一、比一比，口头组成词语。

根——跟　　锯——剧　　汗——杆

哈——给　　竿——笨　　窄——空

二、读一读。

急急忙忙　清清楚楚　左思右想　哈哈大笑

高高兴兴　花花绿绿　奇形怪状　满头大汗

三、比一比，再看图照样子说句子。

有个人拿着竹竿，进城去。

有个人拿着一根长长的竹竿，急急忙忙进城去。

白鹅游来游去。

_____ 。

四、读一读，想想每组中两个词的意思有什么不同。

宽窄　横竖　长短　左右　先后　直弯

五、读句子，说句子。

因为你的竹竿太长，所以拿不进去。

1 因为学校是乐园，所以大家都愿^{yuàn}意上学。

1 因为学校是乐园，所以大家都愿意上学。

2 因为北京秋天的景色很美，所以来旅游的人很多。

3 因为我常常收拾房间，所以＿＿＿＿＿＿＿＿＿＿。

4 因为＿＿＿＿＿＿＿＿，所以今天不能去爬山了。

5 因为＿＿＿＿＿＿＿，所以＿＿＿＿＿＿＿。

45

11 应(yīng)该听谁的

李(lǐ)老头和他的孙(sūn)子骑(qí)着一头小毛驴(lǘ)，到北村(cūn)去找朋友。

刚出村子，迎面走来一个中年人。他自言自语地说："两个人骑一头小驴，快把驴压死(sǐ)了！"

李老头听了，立刻下来，让孙子一个人骑，自己在旁边走。

没走多远，一个老人看见了，摇(yáo)摇头说："孙子骑

驴，让爷爷走路，太不尊敬(zūn jìng)老人了！"

李老头连忙叫孙子下来，自己骑上去。

又走了不远，一个孩子看见了，很生气地说："没见过这样的爷爷，自己骑驴，让孙子跟在后边跑。"

李老头赶紧(jǐn)下来，和孙子一同走。

他们来到北村，几个种菜的看见了，说："有驴不骑，多笨哪！"

李老头摸(mō)摸脑袋，看看孙子，不知道怎么做才好。

李老头连忙叫孙子下来。

应	孙	骑	驴	村	死	摇	尊	敬	紧	摸
(應)	(孫)	(騎)	(驢)						(緊)	

练 习

一、查字典，照样子说一说。

琴 ，查"王"部，再查八画，读音是 qín。

需　弹　难　寒　适

二、用下面的字组成词语，看谁组得多。

子　边　急　骑　赶

边：里边，外边。

三、读词语。

孙子　　孩子　　爷爷　　中年人　　种菜的

骑驴　　摇头　　生气　　上去　　　下来

应该　　赶紧　　立刻　　尊敬　　　自言自语

四、读句子，注意带点的词语。

李老头听了，立刻下来。

李老头连忙叫孙子下来。

李老头赶紧下来，和孙子一起走。

五、读句子，说句子。

李老头连忙叫孙子下来。

1 妈妈叫我收拾房间。

2 爷爷让爸爸早点儿休息。

3 ＿＿叫我去他家看录像。

4 叔叔让小云＿＿＿＿＿。

5 ＿＿叫＿＿＿＿＿＿。

12 你觉得可笑吗

不需(xū)要洗(xǐ)手

妈妈： 迈(mài)克，弹(tán)钢琴(gāng qín)以前，要把手洗干净(jìng)。

迈克： 妈妈，用不着洗手，我只弹黑键(jiàn)。

学后面的

比尔(ěr)： 爸爸，学中文难(nán)吗？

爸爸： 开始学难一些，学到后面就容易了。

比尔： 那我应该先学后面的。

天冷没关系

吉姆 (jí mǔ)：爸爸，我长大了要去北极探险。

爸爸：很好，可是那里的天气冷极了。

吉姆：天冷没关系。我现在就做准备。

爸爸：怎么准备呢？

吉姆：您每天都给我买冰淇淋 (qí lín) 吃，将来就能适 (shì) 应北极的寒 (hán) 冷天气了。

请吃药 (yào)

贝蒂 (dì)：爸爸，爸爸，快醒 (xǐng) 醒，您还有件重 (zhòng) 要的事没做呢。

爸爸：什么事呀？

贝蒂：您还没吃安眠 (mián) 药呢。

天冷没关系。

需	洗	弹	钢	琴	净	难	适	寒	药	重
		(弹)	(鋼)			(難)	(適)		(藥)	

练 习

一、照样子比一比，再各说出几个字。

冫 —— 净 冰　　艹　　木　　礻　　又

氵 —— 清 洗　　竹　　禾　　衤　　辶

二、读词语。

干净　　准备　　需要　　吃药　　弹钢琴

寒冷　　适应　　重要　　洗手　　用不着

三、读句子，注意标点符号的用法。

1 海伦(lún)说："爸爸，我需要一本中文字典(diǎn)。"

2 大卫说："汤姆(mǔ)的网球打得真棒！"

3 爸爸说："吉姆(jí)，你长大了想去寒冷的北极吗？"

4 姥姥说："我已经适应这里的生活了。"

四、读句子，找出意思相反的词。

　　1　开始学难一些，学到后面就容易了。

　　2　这里的天气太热，可是北极又太冷了。

　　3　我不弹白键，只弹黑键。

五、读句子，说句子。

　　　天冷没关系。

　　1　身体健^{kāng}康十分重要。

　　2　丹^{dān}尼^{ní}学中文是为了去中国旅游。

　　3　妈妈听音乐＿＿＿＿＿＿＿。

　　4　＿＿＿　＿＿＿＿＿非常好听。

　　5　＿＿＿　＿＿＿＿＿最好去海滨^{bīn}游泳^{yǒng}。

54

13 司(sī)马光

古时候有个孩子，叫司马光。

有一回，他跟几个小朋友在花园里玩。花园里有假[jiǎ]山，假山下面有一口大水缸(gāng)，缸里装满了水。

有个小朋友爬到假山上玩，一不小心，掉(diào)进大水缸里了。

别的小朋友都慌(huāng)了，有的吓(xià)哭(kū)了，有的叫着喊着跑去找大人。

司马光没有慌，他举起一块石头，使劲(shǐ jìn)砸(zá)那口缸，几下子就把缸砸破(pò)了。

缸里的水流(liú)出来了，掉在缸里的小朋友得救了。

小朋友都慌了，有的吓哭了，有的去找大人。

缸	掉	慌	吓	哭	使	劲	砸	破	流
			(嚇)			(勁)			

练 习

一、读词语，注意带点字的读音。

假山	头脑	拿着	得救了
假期	石头	用不着	跑得快

二、记住下面的字。

不要丢掉一"点"	不要多加一"点"

哭	流	拨	今	琴	纸
低	兔	优	写	慌	步
截	被	然	乌	神	沉

三、读词语。

花园　掉进　使劲　砸破　流出来

假山　水缸　举起　得救　吓哭了

四、看图用下面的词语组成句子。

1 大卫　踢　足球　和　男孩　几个

2 女孩　两个　和　小云　皮筋　跳

五、读句子，说句子。

小朋友都慌了，有的吓哭了，有的去找大人。

1 下课了，同学们有的踢球，有的做游戏。

2 妈妈买来的苹果，有的是红的，有的是绿的。

3 _____ 有的喜欢跳舞，有的喜欢唱歌。

4 小鸟在树上有的_____，有的_____。

5 _____ 有的_____，有的_____。

14 挑(tiāo)水过河

从前有个孩子，做事爱动脑筋(jīn)。

一天，他和几个同学在学校门前的小河边玩耍(shuǎ)。老师挑着一担(dàn)水走来，说："小河涨(zhǎng)水了，河水贴近竹桥桥面了。我想看看你们谁最聪(cōng)明，能把这担水挑过去，还不弄湿鞋(xié)子。"

一个同学挑起这担水，轻轻地走上桥。走到桥中间的时候，小竹桥被压弯了，河水没[mò]过桥面，鞋子湿了。他只好退(tuì)回来。大家一看都不敢(gǎn)再试了。

这个爱动脑筋的孩子想了想，说："让我试试看。"只见他先用绳(shéng)子把水桶(tǒng)系[jì]在扁担(biǎn dan)的两头，再把两个水桶轻轻地放到小桥两边的河水里，然后两只手抓(zhuā)着扁担的中间，推(tuī)着它，慢(màn)慢地走过了桥，鞋子一点儿也没有湿。

大家看了，齐声说："你的办法真好！"老师笑着点点头。

小竹桥被压弯了。

59

挑	担	聪	鞋	退	敢	绳	桶	扁	抓
	(擔)	(聰)				(繩)			

练习

一、想一想，说出正确的答案。

"一担水"的 担 读 dān 还是 dàn ？

"没过"的 没 读 mò 还是 méi ？

"系在两头"的 系 读 xì 还是 jì ？

退 里面是 "艮" 还是 "良" ？

敢 第七画是 "一" 还是 "丶" ？

抓 右半部是 "爪" 还是 "瓜" ？

二、读词语。

扁担	绳子	挑水	做事	不敢	过河
水桶	鞋子	抓住	聪明	然后	退回来

三、连起来读一读。

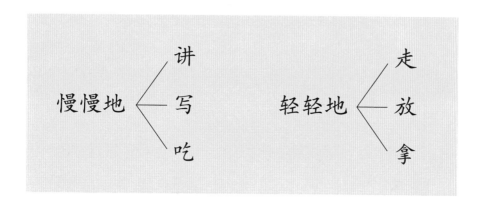

慢慢地 ← 讲 写 吃

轻轻地 ← 走 放 拿

四、组成句子读一读。

挑着　　走来　　一担　　农民　　一个　　水

同学　　几个　　在　　玩耍_{shuǎ}　　边　　小河

五、读句子，说句子。

小竹桥		压弯了。
鞋		弄湿了。
小树	被	刮倒了。
衣服		

15 看月食

爸爸：大卫，今天晚上有月食，时间快到了，你愿(yuàn)
意去看吗？

大卫：听说月食好多年才有一次，现在就去看吧。

爸爸：月食开始了。你看，刚才月亮还是圆圆的，现在
不那么圆了，一点一点地被遮(zhē)住了。

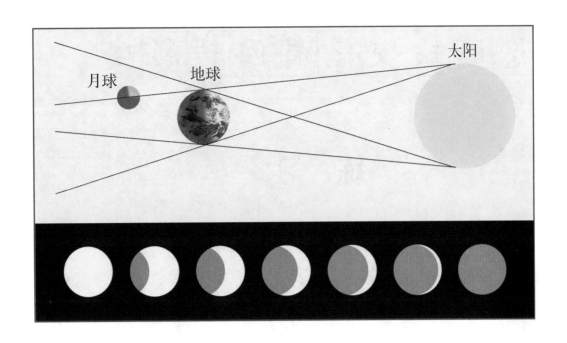

大卫：是啊，这会儿，月亮缺(quē)得更多了，就好像被什么咬(yǎo)掉了半边。

爸爸：你再看，月亮又有变化(huà)了。

大卫：月亮弯弯的，像小船，啊，像弯钩了，更像眉(méi)毛了。这会儿什么都看不见了。

爸爸：这是月全食。别着急，过一会儿月亮还会出来的。

大卫：啊，月亮出来了，像眉毛了，像弯钩了，像小船了。爸爸，为什么会有月食呢？

爸爸：这是因(yīn)为地球转(zhuàn)到了太阳和月亮中间，挡住了太阳光，月亮上阳光照不到的地方，出现了黑影(yǐng)。

大卫：噢(ō)，原来是这样。

你愿意去看月食吗？

愿	遮	缺	咬	化	眉	因	转	影	噢

（願）　　　　　　　　　　　（轉）

练 习

一、读一读，注意声调。

‾ ‾	／ ／	ˇ ˇ	＼ ＼
弯钩	池塘	洗手	愿意
应该	原来	举起	现象
轻轻	着急	只好	变化

二、比一比，口头组成词语。

原——愿　　目——眉　　缺——缸

交——咬　　景——影　　转——传

三、读一读，注意带点的字。

月亮像小船。　｜　月亮被遮住了。

月亮像弯钩。　｜　月亮被云遮住了。

月亮像眉毛。　｜　月亮被云一点一点地遮住了。

四、读句子，注意带点的词语。

1 你愿意去看月食吗？

tòng
2 大卫牙痛，应该去看医生。

luò bīn
3 骆宾王七岁就能作诗。

五、读句子，说句子。

你愿意去看月食吗？

1 我愿意去中国旅游。

2 小云愿意参加书法小组的活动吗？

3 ＿＿＿愿意和我们一起踢球吗？

mǔ
4 汤姆 ＿＿＿＿＿＿＿＿？

5 ＿＿ ＿＿＿＿＿＿＿＿。

综合练习二

一、按声调符号读准字音。

ˉ	ˊ	ˇ	ˋ
吹	浮	响	锯
摸	砸	滚	掉
哭	骑	窄	破
拨	读	死	愿

二、读一读，想想每组词的意思有什么不同。

冷——热　穷——富　死——活
窄——宽　哭——笑　慢——快

三、查字典，说说下面的字查什么部，除去部首有几画，
怎么读。

第　强　盒　透

四、读一读，注意带点的字。

一根竹竿　　一条彩虹　　一片荷叶　　一桶水
　　　　　　　　　hóng

一阵大风　　一朵荷花　　一口水缸　　一担水

五、读一读，想想每组两个词语的意思有什么不同。

急忙　　　　　清楚　　　　　干净

急急忙忙　　　清清楚楚　　　干干净净

认真　　　　　高兴　　　　　漂亮

认认真真　　　高高兴兴　　　漂漂亮亮

六、读句子，再照样子说句子。

1　你的汉字写得更好了。

2　小狗在草地上跑来跑去。

3　同学们有的唱歌，有的跳舞。

4　小船被河水冲走了。

5　我很愿意去中国旅游。

七、读短文。

齐白石是中国著名的书画家、篆(zhuàn)刻家。他年轻的时候爱好篆刻。一天，他向一位老篆刻家请教(jiào)。那位篆刻家说："你挑来一担石头，刻了磨(mó)，磨了刻，等到这些石头都变成了泥浆(ní jiāng)，你的印(yìn)也就刻好了。"

齐白石真的挑来一担石头，练习(xí)篆刻。他一边刻，一边拿篆刻名家的作品对照、琢磨(zuó mo)。他刻了磨平，磨平了再刻。手上磨起了泡(pào)，仍(réng)然刻个不停。一年又一年，石头越来越少，地上的泥浆却(què)越积越厚。最后，一担石头全变成泥浆了。

画家齐白石

画师白石

鲁班门下

八、说话。

海伦病了，没来上课。晚上，小云和她通了电话。她俩会说些什么呢？请你想一想，然后说一说。

16 打 棒 球

丹尼 (dān ní)：明天我们去打棒球好吗？

汤姆 (mǔ)：好啊。昨天我刚买了两只棒球手套 (tào)。

迈 (mài) 克：我也带手套去。

丹尼：我带球和球棒。

汤姆：谁做投 (tóu) 球手？

丹尼：我。汤姆，你先做接 (jiē) 球手。迈克当一垒 (lěi)
手，吉 (jí) 姆当二垒手，比尔 (ěr) 当三垒手，乔 (qiáo)
治当左外场手。

大卫：那我当击 (jī) 球员吧？

丹尼：不行。你在校队就是打强 (qiáng) 棒的，还是先
当右外场手吧。

汤姆：好主意！那就让杰克逊 (xùn) 打第 (dì) 一棒。

丹尼：好，我们明天上午九点球场见。

我买了两只棒球手套。

套	投	接	击	强	第

(擎)

练 习

一、选准字音读一读。

tào	tāo	接	qiáng	qiǎng	强
jiě	jiē	套	jī	jǐ	投
dī	dì	第	tōu	tóu	击

二、看一看，记一记。

套	大	本	本	套	套
第	笒	笒	笫	第	第	第

三、照样子连起来读一读。

弹	脖子	打	月食
伸	钢琴	动	棒球
买	手套	看	脑筋

72

四、读一读，想想每组中两个句子的意思有什么不同。

1 明天我们去打棒球吗？

　明天我们去打棒球吧。

2 我能当击球员吗？

　让我当击球员吧。

五、读句子，说句子。

　我买了两只棒球手套。

1 他借了三本书。

2 大卫吃了一块巧克力。

3 ＿＿唱了一首中文歌。
　　　　　shǒu

4 爸爸看了＿＿＿＿。

5 ＿＿＿ ＿＿＿＿＿。

17 练武术(wǔ shù)

汤姆(mǔ)： 大卫，你昨天表演(yǎn)的中国武术真有意思。

丹尼(dān ní)： 是啊。他一边挥(huī)着拳(quán)，一边东张西望，有时候还抓耳挠(náo)腮(sāi)，真像一只活泼可爱的猴子。

大卫： 这是猴拳。猴拳就是模仿(mó fǎng)猴子的动作编排(biān pái)的。

汤姆： 你是从哪儿学来的？

大卫： 我是在中国武术馆学的。像这样模仿动物的动作的，还有蛇(shé)拳、鹰爪(yīng zhǎo)拳、螳螂(táng láng)拳。

丹尼： 噢，蛇拳一定是模仿蛇的动作，螳螂拳一定是模仿螳螂的动作啦！

大卫： 是的。

汤姆： 大卫，你学过蛇拳吗？

大卫： 我没有学过蛇拳。不过，我家里有一盘介绍(jiè shào)中国武术的录(lù)像带，那里面就有蛇拳，你可以到我家去看。

汤姆： 好，我放了学就去。

我没有学过蛇拳。

75

武	术	挥	拳	模	仿	编	排	介	绍	录
	(術)	(揮)				(編)			(紹)	(録)

练 习

一、比一比，口头组成词语。

方——仿　　扁——编　　介——界

木——术　　录——绿　　模——摸

二、读词语。

武术　　挥拳　　介绍　　活泼　　录像带

动作　　模仿　　编排　　可爱　　东张西望

三、读句子，想想带点词的意思。

1 你读过这本书吗?

2 河水没过桥面。

3 孩子走过小桥。

四、把下面的词语组成句子读一读。

1 这 武术 录像带 介绍 盘 是 的

2 妈妈 衣服 的 一件 有 漂亮

五、读句子，说句子。

我没有学过蛇拳。
shé

1 他没有打过网球。

2 汤姆没有弹过钢琴。
mǔ

3 海伦没有____过____。
lún

4 ____没有____过____。

77

18 放风筝(zheng)

海伦(lún)：小云、大卫，我给你们看一样东西。

小云：噢，是风筝。这么小，还没有巴掌大！

大卫：它能放起来吗？

海伦：当然了。比它更小的风筝还能放起来呢。我在中国的风筝节上看到过。

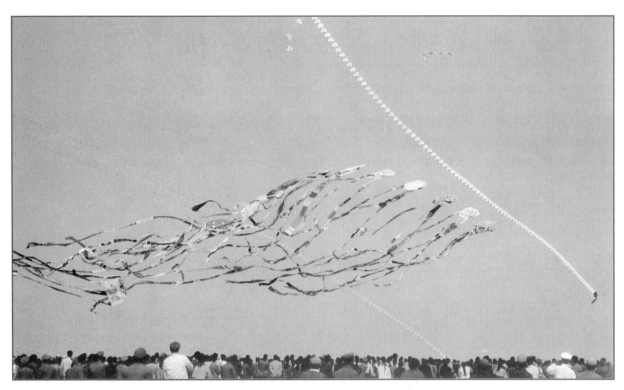

中国潍坊风筝节

小云：你去看风筝表演 (yǎn) 啦？

海伦：是啊。

大卫：那一定很有意思吧？

海伦：是的。风筝节上放的风筝各式 (shì) 各样，小的比火
　　　柴 (chái) 盒 (hé) 还小，大的有几百米长。有一只大
　　　蜈蚣 (wú gōng) 风筝，十几个人才能把它放起来。

大卫：这可真希 (xī) 奇！

小云：我们明天去放风筝好吗？

海伦：好啊。你送我的蝴蝶 (hú dié) 风筝，我一直没有机 (jī)
　　　会放。明天我也把它带去。

大卫：好，我们一起去。

这只风筝没有巴掌大。

筝	演	式	柴	盒	希	蝴	蝶	机

(機)

练 习

一、读词语，注意带点字的读音。

　　巴掌　　　清楚　　　脖子　　　扁担

　　东西　　　风筝　　　意思　　　姥姥

二、比一比，记一记。

　　几 —— 机　　合 —— 盒　　蝴 —— 湖

　　布 —— 希　　式 —— 武　　柴 —— 架

三、读词语。

　　风筝　　巴掌　　表演　　意思　　火柴盒

　　蝴蝶　　当然　　机会　　希奇　　各式各样

四、读一读，注意带点的词语。

　　1 那只风筝比火柴盒小。

　　　那只风筝没有火柴盒大。

2 这只风筝比巴掌小。

　这只风筝没有巴掌大。

五、读句子，说句子。

　　这只风筝没有巴掌大。

1 妹妹没有桌子高。

2 汽车没有飞机快。

3 _____没有大卫中文学得好。

4 这朵花没有_____。

5 _____没有_____。

六、说话。

　　选择你最喜爱的一项活动或运动(比如，游览、野
餐、爬山、打球等)，想想你是怎样活动的，为什么喜爱
这项活动或运动，然后说一段话。

19 翠(cuì) 鸟

　　翠鸟是十分漂亮的小鸟。它的羽毛非常鲜艳：头上的羽毛是橄榄(gǎn lǎn)色的，背上的羽毛是浅(qiǎn)绿色的，腹部(fù bù)的羽毛是赤(chì)褐(hè)色的。它有一双透(tòu)亮的眼睛，一张又尖又长的嘴。

　　翠鸟叫声清脆(cuì)，爱贴着水面飞。它常常停在苇秆(wěi gǎn)上，注视着水面，等待(dài)游上来的小鱼。小鱼的头一露出水面，翠鸟就蹬(dēng)开苇秆，像箭(jiàn)一样飞过去，叼(diāo)起小鱼飞走了。

　　我们都喜欢翠鸟。每当翠鸟飞来的时候，我们总是看着它那美丽的羽毛，希望它在苇秆上多停一会儿。

翠鸟叼起小鱼飞走了。

翠	浅	腹	部	透	脆	待	箭	叼

(淺)

练 习

一、选择正确的字音，读一读。

浅 (qiǎn qián)　　翠 (cuī cuì)　　脆 (cuì guī)

腹 (fǔ fù)　　箭 (jiàn jián)　　待 (dāi dài)

二、读词语。

翠鸟　露出　透亮　注视　总是

羽毛　叼起　清脆　等待　每当

三、读一读，想一想。

鲜艳　　　　　　　　　翠鸟

gǎn lǎn 橄榄色　浅绿色 chì hè 赤褐色	头　嘴　眼睛 背　腹部

四、读一读，注意带点的词。

蹬(dēng)开苇秆(wěi gǎn)飞过去　　拿起笔写字

叼起小鱼飞走了　　端起杯子喝茶

举起石头砸缸　　挥着球棒打球

五、读句子，说句子。

翠鸟叼起小鱼飞走了。

1　大卫抱起球跑了。

2　青蛙跳进池塘游走了。

3　小云接过____传给_____。

4　____拿起____走出_____。

5　_____。

20 小 虾

　　我家的鱼缸里养了几只小虾。

　　这些小虾真有趣。吃东西的时候，总是小心翼(yì)翼的，先用钳(qián)子碰(pèng)一下食物，然后赶紧往后退，接着再碰一下，再退，直到觉得没有危(wēi)险了，才用两个钳子捧着吃起来。吃饱(bǎo)了的小虾，有的独(dú)自游来游去，有的互相追逐(zhú)，有的紧贴在缸壁上休息。

　　有一次，我用筷(kuài)子逗一只正在休息的小虾。它立刻蹦起来，舞(wǔ)动着细(xì)长的脚，钳子一张一张的，胡须(hú xū)一翘(qiào)一翘的，眼睛一鼓一鼓的。当另(lìng)一只小虾游过来的时候，它们对峙(zhì)了一会儿，就打了起来。

　　每天我总要站(zhàn)在缸前看一会儿。我多么喜欢这些小虾呀！

　　它们对峙了一会儿。

碰	危	独	逐	筷	舞	细	胡	须	另

（獨） （細）（鬍）（鬚）

练 习

一、比一比，口头组成词语。

虫 —— 独　　　另 —— 别　　　快 —— 筷

田 —— 细　　　危 —— 脆　　　古 —— 胡

二、读词语。

鱼缸　　细长　　胡须　　舞动　　独自　　另一只

食物　　筷子　　危险　　追逐　　立刻　　小心翼翼（yì）

三、读句子，想想意思。

1 眼睛一鼓一鼓的。

2 胡须一翘（qiào）一翘的。

3 钳子（qián）一张一张的。

4 尾巴一摆一摆的。

四、读一读，想想带点词语的意思。

看一会儿　　　在北京玩了三天

休息十分钟　　搬到这里两个月了

演了一个半小时　离开中国五年了

五、读句子，说句子。

他们对峙了一会儿。

1　我们玩了一下午。

2　我在美国生活五年了。

3　杰克每天跑步 _____。

4　_____ 住了 _____。

21 出色的"杂技(zá jì)演员"

汤姆(mǔ)：这本画册(cè)里的海洋动物真多。大卫，你喜欢哪种海洋动物？

大卫：　我喜欢海豚(tún)。海豚经过训练，能表演许多节目。

汤姆：　你看过海豚表演吗？

大卫：　看过。海豚会表演钻(zuān)圈，用鼻(bí)子顶球，还能在水里立起来，摆动着身体跳舞呢。

汤姆：　海豚简直就是一个出色的杂技演员！

大卫：　我看过介绍海豚的书，书里说海豚有很好的记忆(yì)
　　　　力，能学会许多复(fù)杂的动作，可聪明了。

汤姆：　在海洋动物里，海狮(shī)也很聪明。

大卫：　听说海狮也会顶球，是吗？

汤姆：　是啊。海狮顶球的本领很高。从远处抛(pāo)过来的球，
　　　　一下子就让它用鼻子接住了，真像一个优秀(xiù)的水
　　　　球守(shǒu)门员。

球让海狮接住了。

杂	技	册	钻	鼻	忆	复	狮	抛	秀	守
(雜)		(冊)	(鑽)		(憶)	(復)	(獅)			

练 习

一、比一比，口头组成词语。

师——狮　　技——枝　　杂——朵

复——腹　　钻——站　　秀——季

二、读词语。

海狮　　演员　　画册　　鼻子　　记忆力

跳舞　　摆动　　接住　　简直　　抛过来

三、读一读，想想意思。

演员　　　　　　　　守门员

杂技演员　　　　　　水球守门员

出色的杂技演员　　　优秀的水球守门员

四、组成句子读一读。

1 本领　顶球　的　很高　海狮

2 出色的　海豚^{tún}　演员　就像　杂技

五、读句子，说句子。

　　球让海狮接住了。

1 野兔让老鹰^{yīng}抓住了。

2 画册让妹妹拿走了。

3 ＿＿＿让大卫借去了。

4 游泳^{yǒng}圈让＿＿ ＿＿＿＿。

5 ＿＿＿让＿＿＿ ＿＿＿＿＿。

22 三只白鹤(hè)

一天中午，三只白鹤在河里捉到了许多鱼。他们吃饱(bǎo)了以后，把剩下的一条大鱼埋(mái)在地里，留着明天吃。

第一只白鹤抬头看了看太阳，记住大鱼埋在太阳底下。第二只白鹤抬头看了看天空，记住大鱼埋在白云下面。第三只白鹤看

了看河边的柳(liǔ)树，记住大鱼埋在柳树旁边。

　　第二天，太阳刚刚升起，三只白鹤都醒(xǐng)来了。第一只白鹤朝太阳飞去。第二只白鹤朝白云飞去。第三只白鹤飞到河边，落在柳树旁边。

　　哪只白鹤能找到埋在地里的大鱼呢？

　　第一只白鹤朝太阳飞去。

鹤	饱	埋	柳	醒

(鹤)(饱)

练 习

一、找一找，读准字音。

dì　　liǔ　　hè　　liú　　dǐ　　hé

留　　鹤　　第　　河　　柳　　底

二、读词语。

白云　　天空　　太阳　　抬头　　剩下

白鹤　　柳树　　旁边　　吃饱　　底下

三、读一读，记一记。

第一只	第三次
第八层（céng）	四年级（jí）
27路汽车	108路电车
15楼6门3号	平安大街（jiē）9号

四、读句子，注意标点的用法。

1　海伦对小云说："我在动物园里见过白鹤。"

2　桌子上摆着小云送给我的礼物——漂亮的泥娃娃。

3　百鸟园里有鹦鹉、仙鹤、百灵鸟和孔雀，还有许多

　　叫不出名字的鸟。

五、读句子，说句子。

　　第一只白鹤朝太阳飞去。

1　哥哥今年上六年级。

2　我家住在和平大街43号。

3　丹尼在跳高比赛中得了_____。

4　____ _____次学游泳。

5　奶奶_____ _____。

97

23 骆驼(luò tuo) 和羊

　　骆驼比羊长得高。骆驼说："长得高好。"羊说："不对，长得矮(ǎi) 才好呢。"

　　他们走到一个园子旁边。园子四面有围墙(wéi qiáng)，里面种了很多树，茂盛(mào shèng) 的枝叶伸出墙外来。骆驼一抬头就吃到了树叶。羊扒(bā)在墙上，脖子伸得老长，还是吃不着。骆驼说："你看，高比矮好吧。"羊摇了摇头，不肯(kěn)认输(rèn shū)。

　　他们又走了几步，看见围墙有个又窄又矮的门。羊大

模[mú]大样地走进门，去吃园子里的草(cǎo)。骆驼跪(guì)下前腿，低下头往门里钻，怎么也钻不进去。羊说："你看，还是矮比高好吧！"骆驼摇了摇头，也不肯认输。

他们去找老牛评理(píng lǐ)。老牛说："你们俩(liǎ)都只看到自己的长处，看不到自己的短处。所以谁也说服不了谁。"

骆驼比羊长得高。

骆	驼	矮	扒	肯	认	输	草	跪	评	理

(駱)(駝)　　　　　(認)(輸)　　　(評)

练 习

一、读一读，说说每组中的两个字有什么不同。

人——认　　平——评　　矮——短

八——扒　　里——理　　跪——脆

二、读词语。

骆驼　　不肯　　跪下　　抬头　　四面

老牛　　认输　　评理　　树枝　　大模大样

三、读一读，想想每组词语的意思。

高——矮　　长处——短处

宽——窄　　里边——外边

呼——吸　　前面——后面

黑——白　　左边——右边

100

四、读句子，注意带点的词。

1 羊扒在墙（qiáng）上，脖子伸得老长，还是吃不着。

2 骆驼跪下前腿，低下头往门里钻，怎么也钻不进去。

五、读句子，说句子。

骆驼比羊长得高。

1 海伦（lún）比小云跑得快。

2 丹尼（dān ní）比汤姆（mǔ）唱得好。

3 ＿＿比大卫跳得高。

4 ＿＿比＿＿＿飞得高。

5 ＿＿比＿＿＿ ＿＿＿。

24 金银(yín)盾(dùn)

小云： 妈妈，今天我学了《骆驼和羊》。您能再给我讲个寓(yù)言故事吗？

妈妈： 好吧，我给你讲个《金银盾》的故事。

小云： 什么是盾？

妈妈： 古代人打仗常用刀(dāo)、箭作武器(qì)。盾是用来遮挡刀、箭，保护自己的。盾，也叫盾牌(pái)。

小云： 我懂(dǒng)了。

妈妈： 古时候，有两个将军(jūn)去买盾牌。卖盾的人拿出一个盾牌，一面向左，一面向右。站在左边的将军说："这个盾牌很好，是金的。"

小云： 那站在右边的将军一定会说："这个盾牌不是金的，是银的。"

妈妈： 对，你真聪明！右边的将军是这么说的。卖盾的人听了，把盾牌一翻(fān)，说："你们看，这个盾牌一面是金的，一面银的，你们俩(liǎ)都说错了。"

小云： 噢，妈妈，我想这个寓言故事是说，看问题不能只看一面，还要看另一面，对吗？

妈妈： 你说得对。

我给你讲个《金银盾》的故事。

103

寓	刀	器	牌	懂	军	翻	俩
					(軍)		(倆)

练 习

一、看一看，记一记。

寓	宀	宜	寄	寓	寓	寓
牌	片	片	牌	牌	牌	牌

二、读词语。

寓言　　故事　　将军　　武器　　盾^{dùn}牌

打仗　　遮挡　　左边　　右边　　你们俩

三、组成句子读一读。

1 故事　讲　我　妈妈　给

2 买　两个　去　盾牌　将军

3 用来　盾　保护　是　自己　的

104

四、连起来读一读。

给 ┬ 客人 —— 倒(dào)了一杯(bēi)果汁

　　├ 汤姆(mǔ) —— 买了一本书

　　└ 娃娃 —— 捉了一只蝴蝶

五、读句子，说句子。

我给你讲个《金银盾(yín dùn)》的故事。

1　小云给大家讲了一个笑话。

2　丹尼(dān ní)给小兔搭(dā)了一个窝(wō)。

3　＿＿＿给大卫叠(dié)了一架纸飞机。

4　＿＿＿给＿＿＿买了一件生日礼物。

5　＿＿＿给＿＿＿ ＿＿＿＿＿＿＿。

综合练习三

一、看声调符号，读准字音。

ˉ	ˊ	ˇ	ˋ
机	煤	仿	第
输	独	守	术
希	杂	饱	录
须	强	醒	寓

二、用部首查字法查下面的字，再照样子说一说。

消　睡　周　甜　层

xiāo

"消"，查三点水部，除去部首有 7 画。

三、读词语，分别找出表示动物名称和运动名称的词。

风筝	白鹤	鱼缸	食物	武术
翠鸟	游泳	演员	跳舞	棒球
海狮	篮球	骆驼	唱歌	小虾

四、连起来读一读。

清脆的　　　眼睛　　　　出色的　　　海狮

复杂的　　　叫声　　　　聪明的　　　羽毛

透亮的　　　动作　　　　鲜艳的　　　演员

五、读一读，想想每组句子中带点字的意思有什么不同。

我写了一张留言条。

妈妈做了一条清蒸鱼。

桌子上摆着一个漂亮的小闹钟。

金鱼在水里摆着尾巴游来游去。

六、把排列错乱的句子，连成一段通顺的话。

它看见一个瓶(píng)子，瓶子里有水。

瓶子里的水升高了，乌鸦喝着水了。

一只乌鸦(yā)口渴了，到处找水喝。

乌鸦想了个办法，它把小石子一个一个放进瓶子里。

可是，瓶子里的水不多，瓶口又小，它喝不着。

七、读短文。

两只蚂蚁(mǎ yǐ)争论(zhēng lùn)牛的大小。

一只蚂蚁爬到牛的蹄(tí)子上，说："牛比碗大不了多少。"

另一只爬到牛角(jiǎo)上的蚂蚁说："不对，牛弯弯的，长短跟黄瓜差[chà]不多。"

牛听了，笑了笑，说："请你们多走走，再下结论(jié lùn)吧。"

两只蚂蚁在牛身上爬来爬去，爬了好一会儿还没有爬遍牛的全身。他们说："牛真高真大啊!"

八、　说话。

　　大卫到小云家做客，他看到了什么？他们俩可能说些什么？把你看到的和想到的说一说。

25　风味小吃

小云：大卫，你去北京的时候逛夜市(shì)了吗？

大卫：逛了，还吃了许多北京小吃呢，有炸糕(zhá gāo)、豌豆(wān dòu)黄、艾窝窝(ài wō wo)、小窝头和糖火烧(shāo)。

小云：你吃驴(lǘ)打滚(gǔn)儿了吗？

大卫：什么是驴打滚儿呀？

小云：驴打滚儿是一种有名的小吃，是用江米面做成的糕。做驴打滚儿，要先把江米面蒸(zhēng)熟，压成片，

北京东华门夜市

再卷(juǎn)上豆沙馅(xiàn)儿，外边滚上炒(chǎo)熟的黄豆面。它看上去黄黄的，吃起来又甜(tián)又软(ruǎn)。

大卫：真可惜(xī)，没吃过。我最爱吃的是炸糕，又脆又香又甜，比炸夹(jiā)馅儿的面包片还好吃。

小云：炸糕要吃刚炸好的，凉的不好吃。中国的小吃可多了，天津(jīn)的大麻(má)花，四川(chuān)的担担面，陕(shǎn)西的羊肉泡馍(pào mó)……这些小吃风味各异(yì)，你再去中国一定都要尝一尝。

做驴打滚儿，先把江米面蒸熟，再卷上豆沙馅儿。

市	炸	豆	蒸	卷	馅	炒	甜	软	惜	川
				(捲)	(餡)			(軟)		

练 习

一、读一读，注意带点字的读音。

卷上　　凉的　　清楚　　意思　　鼻子

出来　　划着　　时候　　妈妈　　小窝头

二、比一比，组成词语。

巾 —— 市　　　炸 —— 昨　　　炒 —— 沙

舌 —— 甜　　　惜 —— 借　　　馅 —— 稻

三、读词语。

可惜　　面包片　　豆沙馅儿　　羊肉泡馍 pào mó

四川　　逛夜市　　又甜又软　　风味小吃

黄豆　　尝一尝　　又脆又香　　风格各异 yì

四、读句子，注意省略号的用法。

1 中国的小吃可多了，天津的大麻花，四川的担担面，陕西的羊肉泡馍……

2 春天来了，草地上开满了野花，红的、黄的、白的……五颜六色，美丽极了。

五、读句子，说句子。

做驴打滚儿，先把江米面蒸熟，再卷上豆沙馅儿。

1 他先把水桶系好，再把它轻轻放到河水里。

2 我们先看文艺节目，再参观书法展览。

3 小云起床后，先 _____ ，再 _____ 。

4 _____ 先 _____ ，再 _____ 。

 26 剪(jiǎn) 纸

海伦(lún)：小云，你这本书里夹(jiā)的是些什么，真好看。

小云：是中国的剪纸。

海伦：图案(àn)这么精细、复杂，是怎么做出来的？

小云：用剪刀剪的。先把纸折叠(zhé dié)起来，在上面画好图

案，再按图案剪掉空白的部分[fen]，把纸展开后，就是剪纸了。这是一种简单的剪法。

海伦：怎么会有这么多漂亮的颜(yán)色呢?

小云：你看，这个是用红色的纸剪的;这个用白纸剪完后，又染(rǎn)上了各种颜色;这个用各种颜色的纸，分别剪出各个部分，再搭配(dā pèi)成图案。这样，剪纸就各色各样，十分漂亮了。

海伦：中国的剪纸真有意思，是艺术家剪的吧?

小云：许多妇(fù)女都会剪。剪好了贴在窗(chuāng)上做窗花，贴在灯笼(dōng long)上做灯花。

海伦：你会剪吗?

小云：我只会剪简单的。

海伦：你可以教我吗?

小云：当然可以。

剪纸我只会剪简单的。

剪	夹	案	颜	染	搭	配	妇	灯	笼

（夹）　　（颜）　　　　（妇）（燈）（籠）

练　习

一、选择正确的字音，读一读。

颜色 (yān yán)　　搭配 (dā dá)　　漂亮 (piāo piào)

染上 (rǎn yǎn)　　复杂 (fù fǔ)　　意思 (sī si)

二、读一读，记一记。

安——案——图案　　　己——配——配合

前——剪——剪纸　　　女——妇——妇女

龙——笼——灯笼　　　页——颜——颜色

三、读一读。

chuāng
窗花　　　　　　　　　剪纸

美丽的窗花　　　　　　各色各样的剪纸

中国妇女会剪美丽的窗花。　　各色各样的剪纸真好看。

四、读一读，想想带点的词语表示的意思。

简单的剪纸 ———— 简单的

凉的炸糕 ———— 凉的
（gāo）

容易的字 ———— 容易的

五、读句子，说句子。

剪纸我只会剪简单的。

1 牛奶我爱喝热的。

2 菜我喜欢吃新鲜的。

3 衣服 ＿＿＿穿 ＿＿＿的。

4 ＿＿＿ ＿＿＿＿的。

27 您从哪里来

　　几个孩子正在村边玩耍(shuǎ)，山路上走来一位白发[fà]苍(cāng)苍的老人。

　　孩子们看到他，迎上去问："老爷爷，您从哪里来，找谁

呀？"老人微(wēi)笑着说："我就是这个村的人，现在回来了。"

"我们怎么没见过您？"

老人笑了笑，说："我离开这里五十多年了，你们怎么会见过我呢？"

这位老人，就是唐朝诗人贺(hè)知章(zhāng)。

贺知章回乡(xiāng)的消(xiāo)息一传开，童(tóng)年时的朋友都来看望他。大家坐在一起，有说不完的话。老朋友说："你离家这么多年了，口音一点儿也没改(gǎi)呀。"

晚上，贺知章想起白天的情景，怎么也睡(shuì)不着，就写了一首(shǒu)诗：

回乡偶(ǒu)书

少小离家老大回，

乡音无改鬓(bìn)毛衰(shuāi)。

儿童相见不相识(shí)，

笑问客从何(hé)处来。

千百年来，许多离乡多年的老人，回到故乡的时候，都会想起这首诗。

山路上走来一位老人。

耍	微	乡	消	童	改	睡	首	偶	识	何

（乡）　　　　　　　　　　　　　　　　　　（识）

练 习

一、比一比，记一记。

　　垂——睡　　　耍——要　　　何——河

　　里——童　　　消——悄　　　偶——寓

二、读一读。

　　乡 ——— 故乡 ——— 故乡的孩子们

　　童 ——— 童年 ——— 童年时的朋友

　　消 ——— 消息 ——— 回乡的消息

三、读词语。

　　口音　　微笑　　白发　　玩耍　　迎上去

　　情景　　看望　　相识　　何处　　睡不着

　　离开　　消息　　童年　　口音　　一首诗

120

四、读一读，注意带点的词语。

1 老人微笑着说："我就是这个村的人，现在回来了。"

2 老人笑了笑，说："我离开这里五十多年了，你们怎么
   会见过我呢？"

五、读句子，说句子。

　　山路上走来一位老人。

1 东边升起一轮红日。

2 天上挂起一条彩虹。
         hóng

3 ＿＿＿＿泛起一道道清波。
      fàn

4 那边跑来＿＿＿＿＿＿＿＿。

5 ＿＿＿＿开来＿＿＿＿＿＿。

28　日月潭(tán)

日月潭是中国台湾(wān)省(shěng)的一个大湖。

日月潭湖水碧绿,湖中央(yāng)有个美丽的小岛(dǎo)。这个岛把湖水分成两半,一边像圆圆的太阳,叫日潭;一边像弯弯的月亮,叫月潭。人们称它为日月潭。日月潭像碧绿的大玉盘,小岛就像玉盘里的明珠。

日月潭在台湾中部的高山上,四周(zhōu)是密(mì)密的树林。湖水很深,山林倒映(dào yìng)在湖水之中。太阳升起,湖面飘着薄(báo)薄的雾(wù)。要是下起蒙(méng)蒙细雨,日月

　　潭好像披(pī)上了轻纱(shā)，周围(wéi)的景物
一片朦胧(méng lóng)，就像童话中的仙(xiān)境。
　　日月潭真美！

　　日月潭的四周是密密的树林。

潭	湾	省	央	岛	周	密	雾	披	纱	仙
	(灣)			(島)			(霧)		(紗)	

练 习

一、选择正确的字音，读一读。

披上　(pī pēi)　　　　轻纱　(sā shā)

朦胧　(mēng méng)　　台湾省　(shěng shěn)

二、记住下面的字。

不要丢掉一"点"：

> 岛　密　省　纱　笼

不要丢掉一"横"：

> 微　配　蒸　真　输

三、读词语。

中央　　湖水　　小岛　　童话　　台湾省

四周　　山林　　仙境　　明珠　　日月潭

四、连起来读一读。

薄薄的(báo)　　树林　　　碧绿的　　太阳

蒙蒙的(méng)　　雾　　　　圆圆的　　小岛

密密的　　　　细雨　　　美丽的　　湖水

五、读句子，说句子。

　　日月潭的四周是密密的树林。

1　树林旁边是静静的小河。

2　公路两边是碧绿的稻田。

3　房子前面是 ＿＿＿＿＿＿＿。

4　＿＿＿＿＿是 ＿＿＿＿＿＿＿。

125

29 赵州 (zhào zhōu) 桥

你听说过赵州桥吗？赵州桥在中国河北省赵县(xiàn)的洨(xiáo)河上，是一座世界闻(wén)名的石拱(gǒng)桥。它是隋(suí)朝的一位石匠(jiàng)李(lǐ)春设(shè)计的，至(zhì)今已有一千三百多年了。

赵州桥长五十多米，宽九米多，中间走车马，两旁过行人。这座桥全部用石头砌(qì)成，下面没有桥墩(dūn)，只有一个拱

形的大桥洞，横跨(kuà)在三十七米宽的河面上。大桥洞肩(jiān)上的左右两边，还各有两个拱形的小桥洞。平(píng)时，河水从大桥洞流过。发大水的时候，河水还可以从四个小桥洞流过。这样，既(jì)能减轻河水对桥身的冲(chōng)击，又能减轻桥身的重量，还节省了石料(liào)。这种设计十分巧妙(miào)，在世界桥梁(liáng)史(shǐ)上是一个创(chuàng)举。

赵州桥不但坚固(jiān gù)，造型(zào xíng)也很美观。在夕(xī)阳的照射(shè)下，远远望去，就像一道美丽的长虹(hóng)。

赵州桥长五十多米。

县	闻	设	平	冲	料	妙	坚	固	夕	射
(縣)	(聞)	(設)		(衝)			(堅)			

练 习

一、比一比，组成词语。

夕——多　　米——料　　身——射

县——具　　坚——竖　　设——投

闻——问　　固——团　　妙——吵

二、读词语。

全部　　减轻　　节省　　不但　　美观　　桥洞

重量　　冲击　　石料　　至今　　行人　　河水

三、读一读。

石拱桥（gǒng）　　　　　　　创举（chuàng）

一座石拱桥　　　　　　　一个创举

一座世界闻名的石拱桥　　世界桥梁（liáng）史（shǐ）上的一个创举

128

四、读词语，想想表示的意思。

五十多米长　　　三四只

九米多宽　　　　五六倍

一千三百多年　　两个多小时

五、读句子，注意带点的词。

1 赵(zhào)州(zhōu)桥像一道美丽的长虹(hóng)。

2 日月潭像童话中的仙境。

3 小岛像玉盘里的明珠。

六、读句子，说句子。

赵州桥长五十多米。

1 贺(hè)知章(zhāng)离开家乡有五十多年了。

2 王老师有三十多岁。

3 大风筝有_____长。

4 这座楼高_____。

5 _____ _____。

129

30 乐山大佛(fó)

在中国四川省的乐山市，有一尊石佛，叫乐山大佛。乐山大佛在山壁上凿(záo)成，像一个巨人，背靠(kào)着山，巍(wēi)巍端坐，俯(fǔ)视着江面，真可以说"佛是一座山，山是一尊佛!"

乐山大佛高七十一米，大约(yuē)有三十层(céng)楼那么高。头长十四米，肩(jiān)宽二十四米。一只眼睛就有三米长。大佛垂着两只大耳朵，每个耳朵眼儿里都可以钻进两个人。斜(xié)披垂挂的衣衫(shān)下，露出大佛的两只脚。如果让人们并(bìng)排坐在它的脚背上，每一只都可以坐一百来人。在大佛的头颈(jǐng)和两耳后面，开凿了许多排水通道，不

管(guǎn)多大的雨水，都能从这些通道很快地流走。因此(cǐ)，一千一百多年来，乐山大佛一直坐在这里，安然无恙(yàng)。

乐山大佛是一件珍贵(zhēn guì)的石雕(diāo)艺术品，也是世界闻名的石雕佛像，所以每年都有大批(pī)中外游客前来观看。

乐山大佛是世界闻名的佛像，所以有大批游客前来观看。

佛	俯	约	层	肩	并	管	此	珍	贵	批

（约）（层）　　　　　　　　　　（贵）

练　习

一、读一读，注意字的不同读音和用法。

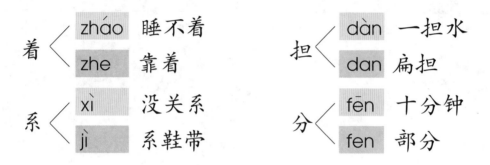

着 〈
　zháo　睡不着
　zhe　靠着

系 〈
　xì　没关系
　jì　系鞋带

担 〈
　dàn　一担水
　dan　扁担

分 〈
　fēn　十分钟
　fen　部分

二、注意字的组成，再读一读。

王 —— 珍 —— 珍贵　　　纟 —— 约 —— 大约

扌 —— 批 —— 大批　　　户 —— 肩 —— 肩上

亻 —— 俯 —— 俯视　　　竹 —— 管 —— 不管

三、读一读，注意带点词的用法。

一首诗　　　一张嘴　　　一座山

五层楼　　　一双眼睛　　　一尊石佛

一道长虹（hóng）　　两只耳朵　　一件艺术品

四、读句子，想想带点词语的意思。

1 乐山大佛大约有三十层楼高。

2 人们并排坐在大佛的脚背上。

3 乐山大佛一直坐在这里。

五、读句子，说句子。

乐山大佛是世界闻名的佛像，所以有大批游客前来观看。

1 孩子们没有见过贺知^{hè}章^{zhāng}，所以把他当作外乡人。

1 孩子们没有见过贺知章，所以把他当作外乡人。

2 小明学习好，爱帮助同学，所以大家都喜欢他。

3 丽丽歌唱得好，所以 _____。

4 _____，所以他取得了好成绩。

5 _____，所以 _____。

综合练习 四

一、查字典，照样子说一说。

鬓毛　　　　查<u>髟</u>部，除去部首有<u>10</u>画，读音<u>bìn</u>。

安然无恙　　查____部，除去部首有____画，读音_____。

珍贵　　　　查____部，除去部首有____画，读音_____。

两截　　　　查____部，除去部首有____画，读音_____。

二、照样子，口头组成词语。

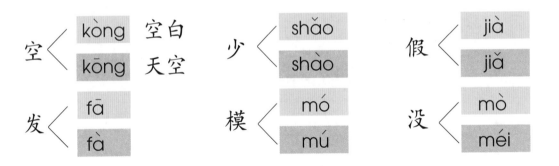

空 〈 kòng 空白 / kōng 天空　　少 〈 shǎo / shào　　假 〈 jià / jiǎ

发 〈 fā / fà　　模 〈 mó / mú　　没 〈 mò / méi

三、读一读，注意下面字的写法。

不要丢掉一"横"：　氧　境　醒　具

不要多写一"横"：　县　耍　西　卷

不要丢掉一"点"：　器　流　武　划

不要多写一"点"：　琴　慌　乌　染

四、读下面意思相反的词。

轻——重　　白天——夜晚
长——短　　复杂——简单
深——浅　　危险——安全

五、读词语，再分成三类说一说。

柳树　　翠鸟　　荷花　　苹果树
骆驼　　故宫　　白鹤　　赵州桥（zhàozhōu）
天坛　　海豚（tún）　长城　　蝴蝶花

动物　___　___　___　___

植物　___　___　___　___

建筑（zhù）　___　___　___　___

六、读句子，注意分号的用法。

1 这个岛把湖水分成两半，一边像圆圆的太阳，叫日潭；一边像弯弯的月亮，叫月潭。

2 天空中，鸟儿在飞翔（xiáng）；草地上，马儿在奔（bēn）跑；山坡上，孩子们在玩耍。

七、读短文。

中国唐代有个著名的文学家叫韩愈（hán yù）。

小时候，他在家乡读书。一天，老师给每个学生一个铜钱（tóng qián），让他们各自去买一样东西，看谁买的东西能把一间屋子装满。放学以后，学生们便（biàn）都到集（jí）市上去了。

第二天，有的买来树苗（miáo），有的买来竹子……可谁的东西都不能把一间屋子装满。过了一会儿，韩愈来了。只见他从袖(xiù)子里取出一枝蜡烛(là zhú)，然后把蜡烛点燃(rán)。老师见了，高兴地连声说："好！好！韩愈真聪明！"

八、说话。

　　选择你喜欢的一座雕塑(diāo sù)或者一件艺术品(工艺品、绘画等)，按一定的顺序(shùn xù)进行观察(chá)，再想想你为什么喜欢，然后用一段话说一说。用词要准确(què)，语句要通顺连贯(guàn)。

生 字 表

1	tǐng 挺	chéng 城	gù 故	gōng 宫	tán 坛(壇)	jué 觉(覺)
	bì 壁	chǔ 楚	gèng 更	gòng 共		
2	guàng 逛	tān 滩(灘)	qǔ 曲	tǎ 塔	tǐng 艇	lèi 类(類)
	liè 列	yú 余(餘)				
3	yì 艺(藝)	tái 台(臺)	jù 剧(劇)	qiāng 腔	cí 词(詞)	yōu 优(優)
	huì 绘(繪)	zǔ 组(組)	fǎ 法	fēng 丰(豐)	fù 富	
4	shǔ 暑	xióng 雄	wěi 伟(偉)	duàn 段	huà 华(華)	tī 梯
	dǎn 胆(膽)	jiāng 将(將)	jìng 境	bèi 倍	rú 如	
5	xiě 写(寫)	yán 言	lǎo 姥	róng 容	yì 易	chēng 称(稱)
	jiǎn 简(簡)	dān 单(單)				
6	yàn 燕	dī 低	shī 湿(濕)	chì 翅	bǎng 膀	zhū 珠
	chí 池	yǎng 氧	wū 乌(烏)	yuè 越	guā 刮(颳)	
7	léi 雷	chén 沉	hū 忽	rán 然	chuī 吹	chuí 垂
	táo 逃	xiǎng 响(響)	jiàn 渐(漸)	pū 扑(撲)	gǎn 感	

8	qióng 穷(窮)	dú 读(讀)	bàng 傍	zhèn 阵(陣)	tōng 通	hé 荷
	fěn 粉	dī 滴	gǔn 滚	shén 神	cǎi 采(採)	
9	é 鹅(鵝)	táng 唐	táng 塘	bì 碧	lǜ 绿(綠)	shēn 伸
	bó 脖	huá 划(劃)	bō 波	fú 浮	bō 拨(撥)	
10	gēn 根	gān 竿	jí 急	zhǎi 窄	shù 竖(豎)	hàn 汗
	bèn 笨	suǒ 所	jù 锯(鋸)	jié 截	hā 哈	
11	yīng 应(應)	sūn 孙(孫)	qí 骑(騎)	lú 驴(驢)	cūn 村	sǐ 死
	yáo 摇	zūn 尊	jìng 敬	jǐn 紧(緊)	mō 摸	
12	xū 需	xǐ 洗	tán 弹(彈)	gāng 钢(鋼)	qín 琴	jìng 净
	nán 难(難)	shì 适(適)	hán 寒	yào 药(藥)	zhòng 重	
13	gāng 缸	diào 掉	huāng 慌	xià 吓(嚇)	kū 哭	shǐ 使
	jìn 劲(勁)	zá 砸	pò 破	liú 流		
14	tiāo 挑	dàn 担(擔)	cōng 聪(聰)	xié 鞋	tuì 退	gǎn 敢
	shéng 绳(繩)	tǒng 桶	biǎn 扁	zhuā 抓		
15	yuàn 愿(願)	zhē 遮	quē 缺	yǎo 咬	huà 化	méi 眉
	yīn 因	zhuàn 转(轉)	yǐng 影	ō 噢		

16	tào 套	tóu 投	jiē 接	jī 击(擊)	qiáng 强	dì 第
17	wǔ 武	shù 术(術)	huī 挥(揮)	quán 拳	mó 模	fǎng 仿
	biān 编(編)	pái 排	jiè 介	shào 绍(紹)	lù 录(録)	
18	zhēng 筝	yǎn 演	shì 式	chái 柴	hé 盒	xī 希
	hú 蝴	dié 蝶	jī 机(機)			
19	cuì 翠	qiǎn 浅(淺)	fù 腹	bù 部	tòu 透	cuì 脆
	dài 待	jiàn 箭	diāo 叼			
20	pèng 碰	wēi 危	dú 独(獨)	zhú 逐	kuài 筷	wǔ 舞
	xì 细(細)	hú 胡(鬍)	xū 须(鬚)	lìng 另		
21	zá 杂(雜)	jì 技	cè 册(冊)	zuān 钻(鑽)	bí 鼻	yì 忆(憶)
	fù 复(復)	shī 狮(獅)	pāo 抛	xiù 秀	shǒu 守	
22	hè 鹤(鶴)	bǎo 饱(飽)	mái 埋	liǔ 柳	xǐng 醒	
23	luò 骆(駱)	tuó 驼(駝)	ǎi 矮	bā 扒	kěn 肯	rèn 认(認)
	shū 输(輸)	cǎo 草	guì 跪	píng 评(評)	lǐ 理	
24	yù 寓	dāo 刀	qì 器	pái 牌	dǒng 懂	jūn 军(軍)
	fān 翻	liǎ 俩(倆)				

25	shì 市	zhá 炸	dòu 豆	zhēng 蒸	juǎn 卷(捲)	xiàn 馅(餡)
	chǎo 炒	tián 甜	ruǎn 软(軟)	xī 惜	chuān 川	
26	jiǎn 剪	jiā 夹(夾)	àn 案	yán 颜(顏)	rǎn 染	dā 搭
	pèi 配	fù 妇(婦)	dēng 灯(燈)	lóng 笼(籠)		
27	shuǎ 耍	wēi 微	xiāng 乡(鄉)	xiāo 消	tóng 童	gǎi 改
	shuì 睡	shǒu 首	ǒu 偶	shí 识(識)	hé 何	
28	tán 潭	wān 湾(灣)	shěng 省	yāng 央	dǎo 岛(島)	zhōu 周
	mì 密	wù 雾(霧)	pī 披	shā 纱(紗)	xiān 仙	
29	xiàn 县(縣)	wén 闻(聞)	shè 设(設)	píng 平	chōng 冲(衝)	liào 料
	miào 妙	jiān 坚(堅)	gù 固	xī 夕	shè 射	
30	fó 佛	fǔ 俯	yuē 约(約)	céng 层(層)	jiān 肩	bìng 并
	guǎn 管	cǐ 此	zhēn 珍	guì 贵(貴)	pī 批	

（共300字）

词 语 表

1 挺 长城 故宫 天坛 觉得 回音壁 清清楚楚 奇怪 更
柱子 一共 清楚 里边 中间 外边 节气

2 游览 逛 外滩 参观 九曲桥 高楼 桥塔 数不清 远望
轮船 公园 小艇 同类 课余 少年宫

3 大厅 文艺 油彩 京剧 唱腔 唱词 优美 绘画 小组
书法 电脑 丰富多彩 举行 航海 航空 离开

4 爬山 暑假 雄伟 石刻 华山 只有 一段 梯子 胆小
胆子 将来 登山 运动员 西南 边境 倍 如果

5 写 留言条 姥姥 办公室 容易 称呼 事情 最后 简单
明白

6　燕子　低　之前　湿　翅膀　水珠　水池　可能　气压　氧气
高处　搬家　乌云　刮

7　雷雨　满天　黑沉沉　树叶　忽然　吹　垂　逃走　闪电
越来越响　渐渐　清新　迎面　感到

8　穷　人家　放牛　读　傍晚　一阵　阳光　通红　荷花　粉红
荷叶　出神

9　鹅　唐代　作诗　池塘　碧绿　池水　伸　脖子　脚掌　浮
拨

10　进城　从前　一根　竹竿　急急忙忙　城门　窄　竖着
左思右想　办法　满头大汗　可笑　笨　所以　锯　两截
旁边　哈哈大笑

11　应该　孙子　骑　毛驴　村子　中年人　自言自语　死　下来
摇头　尊敬　生气　赶紧　摸

12 需要 洗手 弹 钢琴 干净 用不着 难 探险 每天
适应 寒冷 药 重要

13 花园 假山 水缸 不小心 掉 慌 吓 哭 举起 使劲
砸 破 得救

14 挑水 过河 做事 一担 聪明 弄湿 鞋子 退 不敢
绳子 水桶 扁担 然后 抓

15 月食 愿意 遮住 缺 咬掉 变化 弯钩 眉毛 着急
因为 地球 转 黑影 出现

16 棒球 手套 投球手 接球手 击球员 强棒 主意 第一
球场

17 武术 挥拳 东张西望 有时候 活泼 模仿 编排
武术馆 介绍 录像带

18 风筝 巴掌 当然 表演 各式各样 火柴盒 希奇 蝴蝶
机会

19 翠鸟 浅绿 腹部 透亮 清脆 注视 等待 箭 叼起
每当 总是 希望

20 鱼缸 碰 接着 危险 独自 追逐 筷子 舞动 细长
胡须

21 出色 杂技 演员 画册 摆动 跳舞 简直 记忆力 复杂
海狮 抛 鼻子 接住 优秀 水球 守门员

22 白鹤 吃饱 埋 天空 柳树 醒

23 骆驼 矮 四面 扒 不肯 认输 大模大样 草 跪下
评理 长处 短处

24 寓言 故事 打仗 刀 武器 遮挡 懂 将军 翻 你们俩

25　风味　小吃　夜市　驴打滚儿　江米面　蒸　豆沙馅儿　炒　黄豆　又甜又软　可惜　四川　担担面

26　剪纸　图案　精细　剪刀　空白　部分　展开　颜色　染　搭配　艺术家　妇女　灯笼

27　玩耍　山路　微笑　唐朝　消息　童年　看望　口音　改　想起　情景　睡不着　一首　相识　故乡

28　日月潭　台湾省　湖水　中央　小岛　两半　明珠　中部　四周　山林　之中　雾　童话　仙境

29　河北省　县　闻名　设计　行人　全部　平时　桥洞　发大水　河水　减轻　冲击　重量　节省　石料　巧妙　坚固　美观　夕阳　照射

30　乐山　大佛　一尊　巨人　大约　层　肩　并排　排水　通道　不管　雨水　因此　珍贵　艺术品　大批　游客　观看